西南学院大学博物館研究叢書

シーボルトと近世の蘭学者たち

前野良沢から伊藤圭介まで

Siebold and Rangakusha (Japanese Dutch scholar~~~~~~~~~~~

From Maeno Ryotaku~

鬼束芽依・迫田ひ~

西南学院大学博物館
SEINAN GAKUIN UNIVERSITY MUSEUM

ご 挨 拶

　西南学院大学博物館では，キリスト教主義教育という建学の精神にもとづき，キリスト教文化や東西交流に関わるさまざまな展覧会をおこなっています。

　2023年は，1823（文政 6 ）年にシーボルトが来日してから200年という節目の年です。シーボルトは，日本の自然や風俗をヨーロッパへ伝えるだけではなく，西洋の医学や自然科学を日本に広め，彼の門人たちは幕末から明治の学術界で活躍しました。

　福岡とシーボルトには，とある繋がりがあります。それは，福岡藩10代藩主・黒田斉清が，長崎・出島でシーボルトと学術的な交流をしたという繋がりです。福岡県立図書館にはシーボルトの著書『NIPPON』『日本植物誌』『日本動物誌』が所蔵されています。これは1918（大正 7 ）年の開館記念に収蔵されたもので，当時の館長・伊東尾四郎が，福岡とシーボルトの歴史的関係を鑑み，財界の援助のもと購入したものです。

　本展覧会は，シーボルト来日200周年を記念し，西南学院大学博物館と福岡県立図書館が共同で開催することとなりました。福岡県立図書館所蔵シーボルト資料を中心に展示し，いわゆる「日本三部作」の立役者となった蘭学者と，その活躍を紹介します。本展覧会を通して，当時の日本の豊かな自然や文化，学者たちの優れた研究成果などを知っていただければ幸いです。

　最後になりましたが，本展覧会の開催および本書の作成にあたって，ご協力を賜りました関係各位に厚く御礼を申し上げます。

　2023年11月 2 日

西南学院大学博物館館長

片 山 隆 裕

福岡県立図書館館長

池 松 峰 男

目　次

西南学院大学博物館 × 福岡県立図書館共同開催企画展
シーボルト来日200周年記念「シーボルトと近世の蘭学者たち」

　江戸時代，出島を通じて日本へもたらされた西洋の学術を「蘭学」と称した。江戸幕府８代将軍・徳川吉宗が1720（享保５）年に海外の書籍の輸入を緩和したことから，武家社会を中心に西洋の知識が導入され，「蘭学」を学ぶ者（蘭学者）も増えていった。

　シーボルト（Philipp Franz Balthasar von Siebold, 1796-1866）はドイツ人の医者・博物学者で，オランダ商館医として1823（文政６）年に来日し，長崎に滞在した。翌年に鳴滝（長崎市鳴滝町）で私塾「鳴滝塾」を開設し，西洋医学や自然科学などを日本人へ講義した。塾生たちは，幕末から明治にかけて医者や本草学者（博物学者）として活躍した。

　本展覧会は，シーボルト来日200周年を記念し，シーボルトと蘭学者たちの活動と，相互に与えた影響を紹介する。

　会期　2023年10月23日（月）〜12月18日（月）
　会場　西南学院大学博物館１階特別展示室
　主催　西南学院大学博物館
　共催　福岡県立図書館

【謝　辞】

　本展覧会の開催および本書の作成にあたり，下記の関係各位にご協力を賜りました。厚く御礼申し上げます。(敬称略・五十音順)

　大分市歴史資料館　九州大学医学図書館　シーボルト記念館

　武雄市図書館・歴史資料館　長崎大学附属図書館経済学部分館　福岡市博物館

　宮崎克則研究室（西南学院大学国際文化学部国際文化学科）　早稲田大学図書館

【凡例】
◎本図録は2023年度西南学院大学博物館企画展「シーボルトと近世の蘭学者たち」〔会期：2023年10月23日（月）〜12月18日（月）〕の開催にあたり作成したものである。
◎本図録での資料写真掲載の順番と，展覧会での展示の順番は必ずしも一致しない。
◎各資料には，資料名のほか，資料情報として〔制作年／制作地／制作者／素材・形態／所蔵〕を記載した。また，資料解説には，末尾に執筆者名を記した。
◎本図録の編集は，鬼束芽依（西南学院大学博物館学芸研究員），迫田ひなの（同）がおこなった。また，編集補助には，森結（西南学院大学博物館教員），栗田りな（西南学院大学博物館学芸調査員），前田桃花（同），庄崎詩香（同），村田早紀（同）があたった。
◎本図録に掲載している写真を，所蔵先の許可なく転載・複写することは認めない。

I

蘭学の隆盛

Prosperity of Rangaku (Dutch Studies)

　長崎に築かれた人工の島「出島」のオランダ商館では，1641（寛永18）年から1859（安政6）年に閉鎖となるまで，オランダとの貿易がおこなわれていた。貿易によって西洋の様々な文物がもたらされたが，その中でも西洋の科学や医学などの学問をオランダ語を通じて学ぶことを「蘭学」といい，蘭学を学ぶものを「蘭学者」といった。

　1720（享保5）年には，海外の書籍の輸入が緩和された。当時の将軍・徳川吉宗は，書物奉行の青木昆陽と寄合医師の野呂元丈にオランダ語の習得を命じた。彼らはオランダ商館長の江戸参府に同行した通詞などに学び，オランダ語を習得したのち多数の翻訳書を出版した。

　昆陽らに学んだ医者や知識人たちは，同じく通詞などにも学びながらオランダ語の習得をおこなった。やがて医学・天文学・薬学など諸学問のオランダの書物が翻訳・出版され，武家社会を中心に西洋の知識が広まっていった。その後，蘭学者により江戸・大坂・長崎を中心に蘭学塾（私塾）が開かれ，オランダ語や医学をはじめとした西洋の学問が学ばれた。

The Dejima Dutch Trading Post, built in Nagasaki, traded with the Netherlands from 1641 to 1859. Trade with the Netherlands introduced various Western knowledge to Japan during the Edo period, including Western science and medicine. Studying those knowledges through Dutch langage called "Rangaku". Japanese individuals who studied Rangaku were called "Rangakusha" (Dutch scholars).

With the restriction on importing Dutch books being eased in 1720, specifically those unrelated to Christianity, Dutch studies prospered for a period. Tokugawa Yoshimune（徳川吉宗）, the shogun during that period, ordered Aoki Kon'yo（青木昆陽）and Noro Genjyo（野呂元丈）to learn the Dutch language. They learned it from a Dutch merchant who accompanied the chief of the Dutch trading post to Edo, after which they translated and published Dutch literature.

Doctors and intellectuals who studied with Aoki Kon'yo and others similarly learned the Dutch language from the same experts. Soon, Dutch books on medicine, astronomy, pharmacy, and other subjects were translated and published, and Western knowledge spread, predominantly among the samurai society. Dutch scholars opened private schools in Edo, Osaka, and Nagasaki to spread Dutch and other Western knowledge.

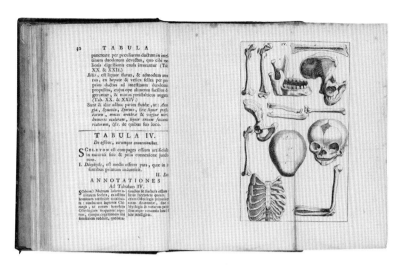

参考 『ターヘル・アナトミア』ラテン語版

Anatomische Tabellen (Latin version)

1732年／アムステルダム（オランダ）／ヨハン・アダム・クルムス〔著〕／紙本印刷, 洋装本／
九州国立博物館（福岡県立アジア文化交流センター）蔵, 出典：国立文化財機構所蔵品統合検索システム

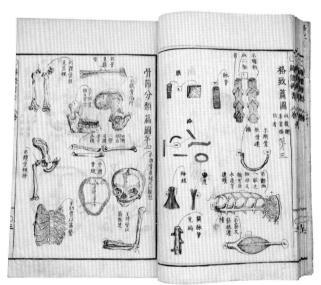

1 『解体新書』

Kaitai shinsyo (A New Book of Anatomy)

1774（安永3）年／江戸／前野良沢・杉田玄白ほか〔訳〕／紙本木版, 和装本, 全5冊／大分市歴史資料館蔵

オランダ語の洋書が流入するようになると，実用的な医学から知識の導入がすすんでいった。本書
は，ドイツの解剖学者クルムス（Johann Adam Kulmus, 1689-1745）が著した解剖学書『ターヘル
・アナトミア』を訳したもの。翻訳研究は1771（明和8）年から1774（安永3）年にかけて，蘭方
医の前野良沢・杉田玄白を中心におこなわれた。(鬼束)

蘭学と西洋知識の広まり

　『解体新書』が刊行されて以降，知識人たちの間では，医学以外の分野（薬学・博物学・天文学・暦学・物理学・科学・地理学など）の学習も盛んになっていった。彼らは長崎に遊学してオランダ人と直接交流したり，通詞と交流したり，研究同好会のような集まりを開いて相互に交流し，知識を深めていった。

　蘭方医の前野良沢や杉田玄白，通詞の吉雄耕牛らに学んだ蘭学者である大槻玄沢は，オランダの歴史や文化・言語を体系的にまとめた蘭学入門書『蘭学階梯』を1788（天明8）年に刊行した。その刊行とほぼ同時期に，江戸・京橋の私邸を「芝蘭堂」という蘭学塾として開いた。日本で初めての蘭学塾であった。

　『蘭学階梯』の普及とともに蘭学も広まっていき，芝蘭堂では多くの蘭学者が育っていった。こうして蘭学は隆盛期をむかえた。蘭学者たちによって，蘭学書や訳書をはじめ一般向けの概説書なども次々と刊行され，武家社会を中心に西洋の知識が広まることとなった。

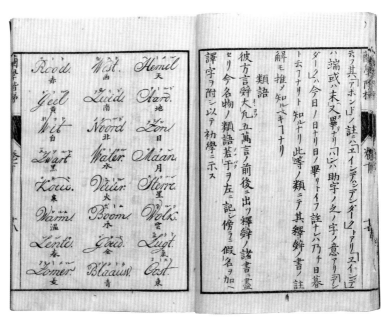

2 『蘭学階梯』

Rangaku kaitei (An Introductory Book of the Dutch History and Language)

1788（天明8）年／日本／大槻玄沢〔著〕／紙本木版，和装本，上下巻／西南学院大学図書館蔵

蘭学者・大槻玄沢によって著された日本初の蘭学入門書である。上下巻からなり，上巻では日蘭関係の歴史，蘭学研究の歴史についてまとめられており，下巻ではオランダ語の綴り・発音・訳法・文法などがまとめられている。江戸時代を通してひろく普及し，蘭学の隆盛に大きく貢献した。　　（鬼束）

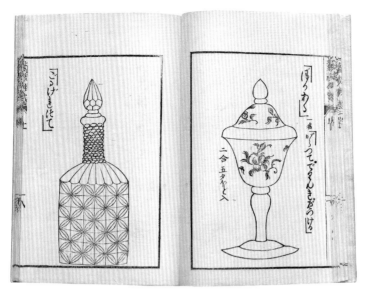

「硝子諸器」より
「ぼつある」
「ごるげれつて」の図

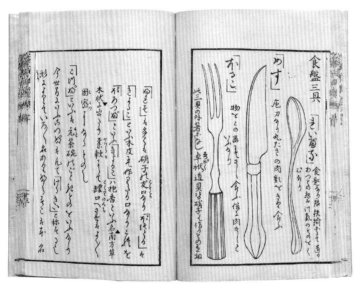

「食盤三具」より
「れいぺる」「めす」
「ほるこ」の図

3 『蘭説弁惑』

Ransetsu benwaku (Record of Questions and Answers about the Netherlands)

1799（寛政11）年／伊勢／大槻玄沢〔述〕，有馬元晁〔記〕／紙本木版，和装本，上下巻／西南学院大学博物館蔵

本文はオランダに関するさまざまなことを玄沢の弟子が質問し，それに対して玄沢が答えるという問答形式で記された。ガラス製品やフォーク，ナイフなどの食器類，動植物などを挿絵とともに紹介し，巻末には「地球略全図」という世界地図も収録されている。(鬼束)

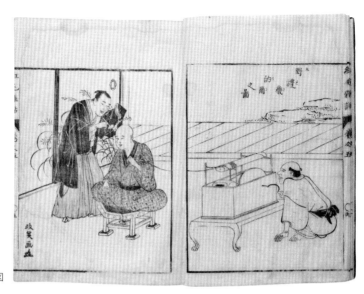

エレキテルの図

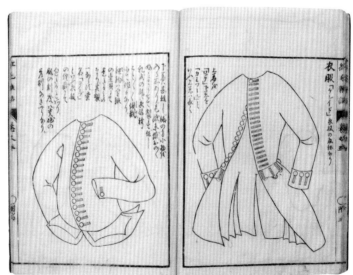

「紅毛服飾の図」より
オランダ人の「衣服」

4 『紅毛雑話』

Kōmō zatsuwa (Various Notes about the Netherlands)

1787（天明 7）年／日本／森島 中 良〔編〕／紙本木版，和装本，全 5 冊／西南学院大学博物館蔵

桂川甫周がオランダ人から見聞きしたさまざまなことを，甫周の弟である森島中良がまとめたも
の。全 5 巻からなり，バドミントンに似た遊び「ウーラング」や，「顕微鏡」で見た植物や虫，西洋
式の人物デッサンなど豊富な図とともにオランダのさまざまな事物が紹介されている。桂川家は第
6 代将軍・徳川家宣以降，代々江戸幕府奥医師を務めていた。甫周は，『ターヘル・アナトミア』の
翻訳作業に最年少で参加し，幕府の許可を得てオランダ商館長やオランダ商館医のツンベルク（本
書27頁参照）らとも対話をした経験があった。（鬼束）

蘭癖たちの宴 オランダ正月

西南学院大学博物館学芸研究員 鬼束芽依

蘭学者のなかでも，特に熱心であり，オランダの習俗を好んで模倣したり，モノを蒐集したりする者たちは「蘭癖」と呼ばれていた。現代風に言えば「オランダオタク」であろうか。オランダから渡ってきたものは当然高価であったため，蘭癖は諸藩の大名や上級武士，大商人など一部の限られた人々の間で楽しまれた趣味であった。

蘭癖たちの間で楽しまれた「宴」がある。それはオランダ正月といって，もともとは長崎・出島のオランダ商館内で太陽暦の1月1日に行われていた新年の祝宴である。出島に滞在していた商館員だけではなく，長崎奉行所の役人や長崎の町年寄，通詞などの日本人も招かれていた。そこに招かれた通詞の吉雄耕牛は，1786（天明6）年に蘭学者などを集め，長崎の自宅でオランダ正月を模倣した宴を開催した。耕牛の宴には当時長崎に遊学していた大槻玄沢も招かれていた。

玄沢は江戸に戻った後，自宅兼蘭学塾の「芝蘭堂」に蘭学者たちを招き，太陽暦の1795年1月1日（寛政6年閏11月11日）にオランダ正月を模倣した「新元会」を開催した。その様子は「芝蘭堂新元会図」（早稲田大学図書館蔵，重要文化財）に描かれている。桂川甫周，森島中良，前野良沢など総勢29名が参加したとされる。本資料の詳細については，Hesselink氏の論文（2000）に詳しい。

机の上にはガラスびんやグラス，ナイフ，フォークなどが並べられていて，独特の雰囲気が醸し出されている。右端にはオランダ人に扮した人物も描かれているのが面白い。蘭書を囲む人々も見られるため，単なる宴会ではなく蘭学者同士の学術的交流の場であったこともうかがわれる。

太陽暦に因んだ宴を開催していることが幕府に知られたら大問題になっていたはずであるが，彼らにはそんなことは関係なかったのかもしれない。新元会はその後，玄沢の長男大槻玄幹の没する1837（天保8）年まで毎年開催されていたという。

5　芝蘭堂新元会図 (複製，画像は部分)

Shirandō shingenkaizu (Illustration of Western-style New Year's party by Japanese Dutch scholars), Replica

明治時代／日本／福井信敏〔版〕／紙本石版／西南学院大学博物館蔵

原資料＊重要文化財：1794（寛政6）年／江戸／市川岳山〔画〕，大槻玄沢ほか〔賛〕／紙本彩色，軸装／早稲田大学図書館蔵

II

シーボルトの来日と
日本研究

Visit to Japan and Japan Studies by Siebold

シーボルト（Philipp Franz Balthasar von Siebold, 1796 - 1866）は，1796年にドイツのヴュルツブルク（Würzburg）という町で生まれた。シーボルトの父親は，ヴュルツブルク大学の医学部教授で，シーボルトもまた，19歳の時にヴュルツブルク大学に入学した。医学をはじめ，自然諸科学・地理学・民族学などを修めた。24歳の時に医師資格試験に合格し，ヴュルツブルク大学を卒業して，ハイディングスフェルト（Heidingsfeld）で医師として開業した。

シーボルトはその後，医師や自然科学者として評価される。26歳の時にはオランダ領東インド植民地陸軍の医師に任命され，オランダのロッテルダム（Rotterdam）からバタヴィア（Batavia, 現ジャカルタ）へ移った。バタヴィアでは軍医と自然科学調査官を兼務した。シーボルトはかねてより東洋に関心があり，オランダ領東インド総督も彼の能力に注目していた。約1か月後，長崎の出島にあったオランダ商館の医師に任命され，シーボルトはまだ見ぬ極東・日本へ向かうことになった。

Philipp Franz Balthasar von Siebold was born in Würzburg, Germany, in 1796. Inspired by his father, a professor of medicine at the University of Würzburg, Siebold joined the same university at 19. At 24, he passed his medical examinations, graduated, and started practicing medicine in Heidingsfeld.

Siebold was highly regarded as a physician and botanist, and at the age of 26, he was appointed as a physician in the Army of the Dutch East Indies Colony. He arrived in Batavia (now Jakarta) from Rotterdam, Netherlands, where he had served as a military physician. In Batavia, however, he served as a natural science investigator. Siebold had long been interested in the Orient, and the Governor of the Dutch East Indies recognized his abilities. Approximately a month later, Siebold was appointed as physician to the Dutch trading post in Dejima, Nagasaki, and he set out for Japan, a country in the Far-East that was still unknown to him.

日本への道のり

　シーボルトが21歳の時に，ヴュルツブルク大学のイグナーツ・デリンガー（Ignaz Döllinger, 1770-1841）生理学教授の家に下宿し，解剖学・生理学・植物学について直接学ぶ機会があった。それだけではなく，デリンガーのもとに集っていた植物学・考古学・薬学などの多数の研究者と交流をおこない，学識を深めた。この経験があったからこそ，シーボルトの多方面にわたる学術的興味関心が生まれたのだった。

　オランダはヨーロッパ諸国の中で唯一日本と貿易をおこなっており，言い換えれば独占状態であった。しかしながら19世紀初頭には利益が上がらなくなっており，その状況を改善する策を考えていた。そこで，日本人に西洋の医学や自然科学の知識を提供することで，幕府や上流階級からの信頼を高め，通商条件を有利にするという方法を考えた。医学や自然科学をはじめとして幅広い分野に精通していたシーボルトはまさに適役で，上記の目的と同時に，日本の自然や地理，民俗や言語などの「総合的科学的」調査をおこなうため，「商館付医官」として長崎・出島に派遣された。

シーボルトが生まれた町・ヴュルツブルクの風景（宮崎克則氏撮影）

6　肥前﨑陽玉浦風景之図(部分)

Ukiyoe of Nagasaki Port and Maruyama Pleasure District (A part of Nagasaki Port)

1862(文久2)年／江戸／歌川貞秀〔画〕，藤岡屋慶次郎〔版〕／木版色摺，大判6枚続／西南学院大学博物館蔵

長崎の町と長崎湾の風景が描かれている。左側中央にみえる出島にはオランダの国旗が掲げられており，周囲にはオランダ船や南京船などの異国船が停泊していることが分かる。商館員のうち，出島へ上陸できたのは商館長をはじめとする10名余りであり，残りの商館員は船中で生活した。『NIPPON』によれば，シーボルトは活気を帯びた町並みの美しさと手入れがなされた豊かな自然に大いに驚嘆したという。(迫田)

参考 **シーボルト像**
Portrait of Siebold
原資料：江戸時代後期／日本／作者不詳／紙本着色／武雄市図書館・歴史資料館蔵

鳴滝塾
_{なる たき じゅく}

参考　**鳴滝塾舎之図**
llustration of *Narutakijuku* (Private School of Dutch Studies by Siebold)
1824（文政7）年以降／長崎／成瀬石痴〔画〕／水彩画／長崎大学附属図書館経済学部分館蔵

　　シーボルトは日本での調査研究を効率的におこなうため，まずは長崎の人々からの信頼を集めようと考えた。はじめに出島の中で日本人に対して医療行為をおこない，出島に勤める役人などからの信頼を得た。当時のオランダ商館長の計らいもあり，来日翌年には長崎奉行の許可を得て，長崎の町の郊外にある鳴滝に「鳴滝塾」を開いた。

　　鳴滝塾では，患者に接し病状を診察しながら治療法を講義する西洋式の臨床講義がおこなわれた。医学だけではなく，自然科学などの講義もおこなわれたという。日本中から医者や蘭学者たちが集まり，門人らはのちに日本の医学界や博物学界などの発展に大きく寄与した。

　　日本人に講義するだけではなく，シーボルトは門人たちに日本に関するさまざまな課題を与え，オランダ語の論文を提出させた。論文を提出した者にはシーボルト自筆の医学修業証を発行するほか，医学書や医療器具を与えていた。そのため門人たちはシーボルトに協力することを惜しまなかった。

鳴滝塾建物模型（複製，シーボルト記念館蔵）
ミュンヘン五大陸博物館（ドイツ）にある鳴滝塾模型を複製したもの。長崎市のシーボルト来日200周年記念事業として2023年に制作された。

シーボルトの日本研究三部作

　シーボルトは鳴滝塾の門人や長崎市中の人々の協力で，長崎周辺の動植物の収集をおこなっていた。収集した動植物は，標本や剝製として残すだけではなく，出島出入絵師の川原慶賀に依頼して動植物の精細な写生図を描かせていた。

　1826（文政9）年のオランダ商館長の江戸参府は，またとない調査研究のチャンスであった。参府には慶賀を同行させ，道中の風景や人物画などを描かせた。また，シーボルトの門人である蘭学者を数名同行させるほか，道中に滞在した各地で蘭学者と交流した。各地の蘭学者たちはシーボルトが宿泊する宿を訪ね，蘭学に関する問答をおこない，お礼に地元の天産物などを渡した。この道中での出会いをきっかけとして，鳴滝塾の門人となった蘭学者も多い。

　シーボルトはのちに国外追放となった（シーボルト事件）が，日本で収集した動植物標本をはじめとしたコレクションはすでにオランダへ向けて輸送されていた。帰国後，日本でおこなった調査研究のまとめに取り掛かる。その成果は『NIPPON』『日本植物誌』『日本動物誌』の三部作にまとめられ，日本の歴史・地理・民俗・風景・動植物などがヨーロッパへ知られることとなった。

『NIPPON』図版篇　口絵

7 『NIPPON』図版篇

NIPPON The book of pictorial records

1832〜51年頃／ライデン（オランダ）／シーボルト／石版, 彩色, 洋装本, 2 冊／福岡県立図書館蔵

『NIPPON』は1832年から約20年間にわたって，ライデン（Leiden）で分冊発行された。鳴滝塾の門人たちが提出したオランダ語論文を引用しながら，日本の歴史や風俗・社会・地理・動植物について多数の精細な図版とともに紹介し，1826（文政 9 ）年のオランダ商館長の江戸参府に随行した際の紀行文（江戸参府紀行）も収録した。当時のヨーロッパにとって未知の国であった日本や，周辺地域（蝦夷・琉球・樺太・朝鮮）についても紹介し，高い評価を得た。(鬼束)

長崎港と湾の眺望

　　福岡県立図書館所蔵シーボルト資料は，1918（大正 7 ）年の開館を記念して購入されたものである。図書館の資料を充実させたいと考えた当時の館長・伊東尾四郎は，福岡藩10代藩主・黒田斉清や福岡藩領の医者等がシーボルトと学術交流をおこなった歴史を鑑み，シーボルト資料の購入を試みた。4,000円という高額であったため，県費のみで購入することはできず，財界の援助を受けて『NIPPON』『日本植物誌』『日本動物誌』を購入した。

　　1945（昭和20）年の福岡大空襲で，福岡県立図書館は建物とともに蔵書の殆どを焼失したが，シーボルト資料は疎開させていたため戦火を免れ，1965（昭和40）年に福岡県文化会館に戻り，現在は箱崎にある福岡県立図書館の貴重書庫に保管されている。これらのシーボルト資料は，当時の日本の姿を現代に伝えるものであるとともに，県民の財産として大切に保存され未来に受け継がれるべき貴重な資料である。

GEMASKERDE DAYSERS.　　✳　　MASKENTÄNZER.
Teufelmaske.　　Fuchsmaske.　　Löwenmaske.

面をかぶった踊り手（鬼・狐・獅子の面）

『NIPPON』には図版が367枚あり，うち47枚が色付き図版である。本図はその一枚で，モデルは佐賀県西南部を中心に長崎県，福岡県筑後地方の一部に分布する「面浮流（めんぶりゅう）」と考えられている。現在では鬼の面（浮流面）を被り鉦（かね）や太鼓を打ち鳴らしながら踊る。もともとの原画は3人別々に描かれていたが，図版にするにあたり，それを一枚にまとめて背景をつけた。赤・白・緑の配色が鮮やかで，色付きの図版の中でも特に目を引く一枚である。

8 『日本植物誌』

Flora Japonica

1835～41年頃／ライデン（オランダ）／シーボルト／石版, 彩色, 洋装本／福岡県立図書館蔵

本文はミュンヘン大学（Ludwig-Maximilians-Universität München）の植物学教授ツッカリーニ（Joseph Gerhard Zuccarini, 1797-1848）による分類学的所見がラテン語で書かれている。シーボルトは，原産国（日本）での自生地・分布・栽培状況・日本名・利用法などをフランス語で記した。日本の植物を初めて精細な図版とともに紹介した本で，図版は川原慶賀が実物を見て描いたものが参考とされた。(鬼束)

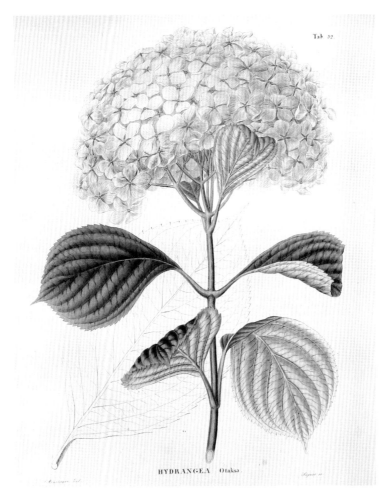

アジサイ　*Hydrangea Otaksa* Sieb. et Zucc.
現在の学名：*Hydrangea macrophylla* (Thunb. ex Murray) Ser. f. *macrophylla*

　アジサイはシーボルトがもっとも好んだ花としても知られる。シーボルトが愛した楠本瀧（おたき）の名になぞらえ，「Otaksa」（おたくさ＝おたきさん）という学名を付けたといわれる。

CAMELLIA japonica.

Tab. 82.

ツバキ *Camellia japonica* L.
現在の学名：*Camellia japonica* L.

シーボルトはツバキを「冬のバラ」と紹介した。ヨーロッパではツバキが人
気となり，芸術界やファッション界へも影響を与えた。

ウメ　*Prunus mume* Sieb. et Zucc.
現在の学名：*Prunus mume* Sieb. et Zucc.

中央に白梅，左に紅梅が描かれる。実や種の断面図も描かれている。シーボ
ルトとツッカリーニが命名した「Prunus mume」は現在も使用されている。
「むめ」は平安時代以降～江戸時代の日本で「梅」の呼称として使われた。

9 『日本動物誌』

Fauna Japonica
1833〜50年頃／ライデン（オランダ）／シーボルト／石版, 彩色, 洋装本／福岡県立図書館蔵

オランダ国立自然史博物館館長テミンク（Coenraad Jacob Temminck, 1778-1858），館員のシュレーゲル（Hermann Schlegel, 1804-84），デ・ハーン（Wilhem de Haan, 1801-55）の協力のもと刊行された。甲殻類・哺乳類・鳥類・虫類・魚類という5つの篇に分かれている。精細な図版が多数収録されており，特に魚類篇の図版は川原慶賀の絵が参考とされた。(鬼束)

ニホンオオカミ（ヤマイヌ　オオカメ） *Canis hodophilax*
現在の学名：*Canis lupus hodopylax* Temminck & Schlegel

ニホンオオカミは数万年前に大陸から日本列島に渡り，以後日本列島に生息していたオオカミである。1905（明治38）年1月23日以降は姿が確認されておらず，絶滅したとされている。日本ではオオカミ，オオイヌ，ヤマイヌなどと呼ばれていた。シーボルトは大坂の動物商でオオカミを購入し，オランダへ持ち帰っている。近年，オランダ国内で保存されているニホンオオカミの剥製の遺伝子解析がおこなわれ，剥製の母親がオオカミで父親がイヌであったことが判明した。

マダイ　*Chrysophrys major*
現在の学名：*Pagrus major* (Temminck & Schlegel)

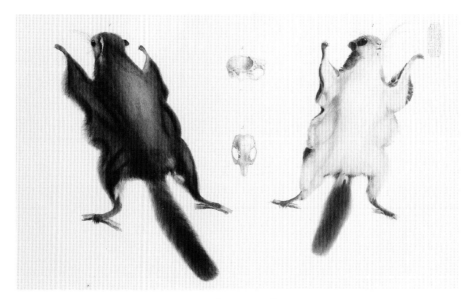

キュウシュウモモンガ（モモンガ）　*Pteromys momoga*
現在の学名：*Pteromys momonga momonga* Temminck & Schlegel

　シーボルトがオランダに持ち帰った資料は、文学的・民族学的コレクション5,000点以上、哺乳動物標本200点、鳥類900点、魚類750点、爬虫類170点、無脊椎動物標本5,000点以上、植物2,000種、植物標本12,000点にのぼり、それらは現在ドイツやオランダの教育研究機関に収蔵されている。

シーボルトが紹介した考古遺物について

西南学院大学博物館学芸研究員　鬼束芽依

シーボルトの日本研究はさまざまな学術分野の視点からおこなわれていたが，その中には考古学の視点も含まれた。当時の日本では西洋的考古学は流入していなかったが，蒐集家や本草家たちの一部には，石器や土器，古瓦など古い時代のモノを好んで集めるいわゆる「好古家」の存在があったし，蒐集したモノを「本草会」や「博物会」などの研究同好会で披露して意見を交わすこともあった。さらには，みずから発掘・蒐集した遺物を精巧な図や拓本などでまとめ，報告した者もいた。シーボルトは，そのような本草家や蘭学者たちと江戸参府の際に交流することで，日本の考古遺物や考古遺物に関する書物をいくつか手に入れた。

シーボルトは『NIPPON』に「日本列島の原住民の石の武具についての考察」という項をあげている。当時の日本では石鏃や石斧などの石器は「神話時代」の遺物だと考えられており，「雷斧石」や「狐の鉋」などと呼ばれていたことを紹介した。そして，これらの石器は人類が鉄の利用をはじめる以前に世界中に普遍的にみられる共通の文化であることを述べた。

3枚の図を伴い，石鏃・石錐・石槍・磨製石斧・石匙・スクレイパーなどが図示されている。「鏃」については，桂川甫周の孫にあたる桂川甫賢から手に入れたと書かれている。日本国内における石器の扱われ方については，木内石亭の『雲根志』を参考にして記している。

石器以外では，「考古学──古代日本島住民の宝物である勾玉」という項で勾玉・金環・管玉・臼玉・曲玉壺（須恵器）などが描かれた図を4枚収録している。この4枚の図の解説には木内石亭の『曲玉問答』を元にした伊藤圭介によるオランダ語論文「勾玉記」が主に参考とされた。図版の中で彩色されたものについては，シーボルトが直接手に入れたものも含まれると考えられる。圭介とシーボルトの関わりについては次章で紹介したい。

シーボルトが収集したこれらの考古遺物は，2018年3月時点ではライデンのシーボルトハウスで展示されていた。日本の考古遺物についてはじめて西洋的考古学視点から比較・考察し，図版と共にヨーロッパに紹介したシーボルトの功績は大きい。

福岡県立図書館所蔵『NIPPON』
より彩色された勾玉の図（部分）

シーボルトハウスに展示されている
考古遺物（2018年3月筆者撮影）

蘭学者との交流
Connecting with
Rangakusha（Japanese Dutch scholars）

　シーボルトの日本研究の背景には多数の蘭学者との交流があった。出島に出入りしていた役人や通詞，鳴滝塾の門人たちをはじめ，1826（文政９）年の江戸参府では江戸や道中で蘭学者と交流をおこなった。彼らはシーボルトから西洋の医学や植物学の知識を得て，幕末から明治にかけて医療や自然科学の発展に寄与した。

　18世紀に花開いた蘭学は，シーボルトの来日まで脈々と受け継がれており，そしてシーボルトに学んだ蘭学者たちの知識も次世代へと受け継がれていった。本章では，シーボルトに学んだ蘭学者と彼らが遺した著作を，ほんの一部であるが紹介し，シーボルトが日本の学界に与えた影響をみていきたい。

Siebold's Japanese studies were based on his interactions with numerous Japanese Dutch scholars. He interacted with Dutch scholars during his journey and after reaching Edo in 1826, including government officials frequenting Dejima, interpreters, and students of Narutaki-juku (the School of Western Study). They acquired Western medical and botanical knowledge from Siebold and contributed to the development of medicine and natural science from the end of the Edo period to the Meiji era.

Dutch studies prospered in the 18th century, continuing until Siebold arrived in Japan, and the knowledge accumulated by the Dutch scholars who studied under Siebold was passed on to the next generation. This chapter introduces a few Dutch scholars who studied under Siebold and the works they left behind, and evaluates Siebold's influence on Japan's academic landscape, particularly in the areas of botany, medicine, and natural history.

日本初の理学博士
伊藤圭介 (1803〜1901)

伊藤圭介肖像　出典：伊藤篤太郎 1898『理学博士伊藤圭介翁小伝』東京印刷株式会社／国立国会図書館デジタルコレクション（https://dl.ndl.go.jp/ja/）

◆ 生い立ち
　1803（享和3）年，尾張名古屋に生まれた。父は御目見医師（藩医）の西山玄道で，7〜8歳のころから父に医学や儒学を学び，また本草学にも親しんでいた。尾張は本草学の盛んな地域で，父・玄道や兄の大河内存真は本草学を水谷豊文に師事した。圭介も幼いころから豊文と関わっていたと考えられる。文政年間（1818〜29）には，豊文を中心に嘗百社という本草学研究同好会が成立し，圭介も参加した。嘗百社では毎月集会や博物採集調査をおこなっていたほか，植物学に関する蘭書の研究も盛んであった。豊文がリンネ（Carl von Linné, 1707-78）の『植物種編』（オランダ語版）を使用して，日本で採集した植物の学名を同定していたことが知られている。

◆ シーボルトとの出会い
　圭介とシーボルトが出会ったのは1826（文政9）年のことで，豊文・存真らとともに熱田宿に滞在していたシーボルトを訪ね，学術知識の交換をおこなった。約3か月後，シーボルトの帰路でふたたび交流した際に，長崎遊学を勧められた。圭介はかねてより長崎遊学を望んでおり，翌年の8月に名古屋を発ち，道中で採草をおこないながら9月に長崎に到着した。

　長崎では通詞の吉雄権之助宅に滞在した。権之助は吉雄耕牛の三男で，オランダ語のほかに英語・ロシア語・フランス語に通じ，名通詞と呼ばれていた。圭介は権之助から医学やオランダ語を学びつつ，シーボルトから直接西洋の博物学について学んだ。翌年3月まで半年間の遊学であったが，非常に充実した日々であったことがうかがわれる。そして名古屋に帰ったあと，オランダ語論文「勾玉考」をシーボルトに提出し，1829（文政12）年に『泰西本草名疏』を刊行した。27歳にして，すでに尾張本草学界の第一人者となっていた。

◆ その後の活躍
　その後は自宅である修養堂で薬品会を定期的に開く，種痘所を開設する，洋学館で教鞭を執るなど，68歳までは名古屋で医師・蘭学者・本草学者として活躍した。1870（明治3）年，明治政府から本草学者として大学南校（洋学校）の少教授に任じられ，東京に居を移した。

　圭介はしばらく小石川植物園に勤務していたが，1877（明治10）年9月8日付で東京大学理学部員外教授に任命された。1881（明治14）年には東京大学教授になり，晩年まで絶えず研究をつづけた。1901（明治34）年に99歳で逝去し，東京帝国大学名誉教授を称され，勲三等，男爵を授けられた。

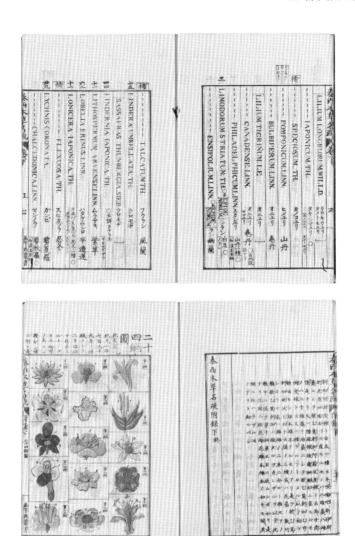

参考　『泰西本草名疏』
Flora Japonica

1829（文政12）年／名古屋／ツンベルク〔著〕，伊藤圭介〔訳〕／紙本木版，和装本，全3冊／
国立国会図書館蔵（請求番号：特1-99），国立国会図書館デジタルコレクション（https://dl.ndl.go.jp/ja/）

長崎でシーボルトから贈られたツンベルク（Carl Peter Thunberg, 1743-1828）の『Flora Japonica』
（日本植物誌）を翻訳して刊行したもの。掲載されている植物を日本名・中国名に訳し，「おしべ」「め
しべ」の形状や数による分類法を図示して紹介した。ツンベルクは出島オランダ商館医として来日
し，1776（安永5）年の江戸参府や長崎の蘭学者との交流を通じて多数の植物標本を入手した。帰
国後，リンネの手法に従って800種以上の日本産の植物を命名・分類した。ツンベルクは当時の蘭学
者たちにもリンネによる植物の分類法を伝えており，シーボルトが来日した際には，日本の蘭学者
たちがすでにリンネの分類法を使用して植物を分類していることに大変驚いたといわれる。（鬼束）

幕末最高峰の蘭方医
伊東玄朴（1800〜71）

伊東玄朴肖像　出典：伊東栄
1916『伊東玄朴伝』玄文社／国
立国会図書館デジタルコレクショ
ン（https://dl.ndl.go.jp/ja/）

　1800（寛政12）年，肥前国神埼郡仁比山村（佐賀県神埼郡神埼町）に生まれた。漢方を学び1818（文政元）年に開業し，1822（文政5）年，佐賀藩医の島本龍嘯に蘭方を学んだ。25歳のころ長崎に遊学し，通詞の猪股伝次右衛門とシーボルトにオランダ語・医学を学んだ。1826（文政9）年に江戸に開業し，医師業の傍ら，蘭書の翻訳研究をおこなった。1833（天保4）年に江戸御徒町に蘭学塾「象先堂」を開き，多数の塾生を輩出した。1835（天保6）年にはかねてより翻訳作業をおこなっていたビショフ（Ignaz Rudolf Bischoff, 1784-1850）の内科医書を『医療正始』として刊行した。本書は大変評判となり，象先堂には多くの門人や患者が集まった。

　1858（安政5）年，西洋内科医としてはじめて幕府奥医師に任命された。そして，江戸の蘭方医らと神田お玉が池に種痘所を設立した。お玉が池種痘所は，1860（万延元）年に幕府直轄となり，その翌年に西洋医学所（のちの東京大学医学部）となった。玄朴は1862（文久2）年に西洋医学所の取締に就任し，江戸蘭方医学界の第一人者となった。

10 『醫療正始』
Iryoseishi (A Handbook of Physician)

1847（弘化4）年／江戸／ビショフ［著］，エルディック［訳］，伊東玄朴［重訳］／
紙本木版，和装本，24巻全8冊（22〜24巻欠）／九州大学医学図書館蔵（杏仁醫館文庫／B 621）

シーボルトと学術交流をした福岡藩主
黒田斉清 <ruby>黒<rt>くろ</rt></ruby><ruby>田<rt>だ</rt></ruby><ruby>斉<rt>なり</rt></ruby><ruby>清<rt>きよ</rt></ruby>（1795〜1851）

黒田斉清像（福岡市博物館蔵）

　1795（寛政7）年，福岡藩9代藩主・斉隆の嫡男として福岡城内で生まれ，斉隆の死去にともない1歳で福岡藩主となった。幼少期から鳥類や本草学に高い関心を寄せており，優秀な学者としても知られた。

　シーボルトと交流を持った大名は6名が数えられるが，現役の藩主として面会したのは斉清ただ一人である。これが可能だったのは，福岡藩と佐賀藩は長崎港の警備を隔年交替で命じられており，藩主は長崎の視察が義務付けられていたためであった。1828（文政11）年3月5日，斉清は世嗣である長溥とともにオランダ商館を訪問し，シーボルトとの面会が果たされた。

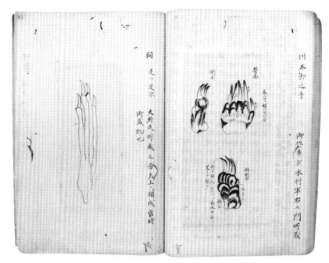

川太郎（河童）の手の図

参考 『下問雑載』<ruby>下<rt>か</rt></ruby><ruby>問<rt>もん</rt></ruby><ruby>雑<rt>ざっ</rt></ruby><ruby>載<rt>さい</rt></ruby>

Kamonzassai (Record of the dialogue between Kuroda Narikiyo and Siebold and Abe Ryuhei's opinions about it)
1828（文政11）年／日本／安部龍平（蘭画）〔編〕／紙本墨書，和装本／福岡県立図書館蔵

斉清が出島でシーボルトと問答をおこなった際，随行していた安部龍平（1784〜1850）が35の問答の記録に自らの意見を加え編集したものである。問答の内容は世界の動植物や地理，民族など多岐にわたる。龍平は福岡藩蘭学の祖である青木興勝，ついで長崎の志筑忠雄に蘭学を学び，蘭学顧問として藩主斉清の指南役を務めた人物である。安部は『下問雑載』の「附言」において，シーボルトは植物に関する知識はほとんど神の領域であり，その才学は並のオランダ人ではないと評価している。（迫田）

Column

福岡藩の蘭学者たち

西南学院大学博物館学芸研究員　迫田ひなの

　福岡藩の蘭学は，青木興勝（1762〜1812）に始まると言われる。代々藩主の侍医の家系に生まれ，亀井南冥の下で儒学を学んだ。その後長崎で通詞に蘭学を学んだのち，福岡藩初の蘭学師範として教鞭を執り，『下問雑載』の編者である安部龍平などを育てた。

　鞍手郡高野村（福岡県宮若市）の漢方医・武谷元立（1785〜1852）も興勝と同じく南冥の門下生であったが，1825（文政8）年にシーボルトから学んだ蘭方医・児玉順蔵が武谷家に逗留したのを契機に，江戸参府のため木屋瀬宿に滞在したシーボルトと面会をおこなっている。1827（文政10）年には，ついに元立が発起人となって百武万里・有吉修平・原田種彦らとともに蘭方の習得のため長崎へと向かった。彼らは翌年まで鳴滝塾で研学し，国許へ戻ったのち蘭方による治療を始めている。1841（天保12）年には百武万里が筆頭となり，藩の許可を得た筑前初の死体解剖が実施された。

　蘭方による新たな治療は徐々に民衆にもその有用性を認められるが，これはシーボルトと交流した10代藩主斉清や，藩士の長崎への留学を推奨した11代藩主長溥が育んだ素地があったためだろう。斉清に代わって藩主となった長溥は理化学の研究をおこなうため，1862（文久2）年には福岡城内に「舎密館」を設立したほか，博多中之島に精錬所を設置するなど，西洋の技術を積極的に取り入れている。そしてこの施設で精錬方御用としてコレラの予防薬等の製造をおこなったのが元立の息子であり，広瀬淡窓や緒方洪庵に学んだ武谷祐之（1820〜94）である。祐之の提言により，1867（慶応3）年には西洋医学・漢方医学の藩校として「賛生館」が設立され，現在の九州大学医学部の礎を築いた。

　このように，シーボルトの伝えた知識は弟子やその子孫らに脈々と受け継がれ，福岡が近代化を果たすための大きな原動力となったのである。

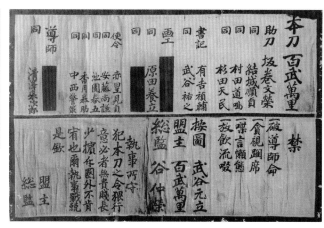

▲百武万里像（福岡市博物館蔵）
▶解剖分担表（個人蔵，シーボルト記念館寄託）原資料の所在は不明，写真のみ現存。

【論考】シーボルトと黒田斉清の「学術交流」

西南学院大学国際文化学部教授　宮崎克則

博多の噂

　博多の庄林半助が，後年になって回想を交えながら書いた見聞集である『旧稀集』（『福岡市史』資料編近世３）のなかに，シーボルトは「シイフリ」として登場する。これによると，文政11年 (1828)「子ノ春」，福岡藩の「大殿様・若殿様」は長崎へ行き，出島で「シイフリ」に会った。「大殿様」とは10代藩主の黒田斉清，「若殿様」は11代藩主となる黒田長溥である。これに続く記事には，黒田斉清は通訳なしでオランダ人と会話ができるほど蘭学に詳しく，出島の訪問後にシーボルトは「ヲロシヤ」人に違いないと言った，などとあるが，「ウソ」である。『旧稀集』は噂を書き留めたものであるから，すべて真実とは限らない。ただし，シーボルト (32歳) と黒田斉清 (33歳) が，文政11年春に出島で会ったのは事実である。どのような話をしたのだろうか。

福岡藩主黒田斉清 (1795～1851)

　福岡藩と佐賀藩は，隔年で約1000人の家臣を派遣して長崎を警備した。それぞれの藩主には，長崎視察を幕府から命じられており，台場の視察とともに，出島の視察も公務のうちであった。シーボルトが出島にいた６年半の間に，２人が会ったのは文政11年３月５日 (1828年４月18日) の１回だった。

　黒田斉清は，寛政７年 (1795) に１歳で10代藩主となる。幼少期から鳥が好きで，飼育してその生態を観察していた。ガチョウの生態についてまとめた『鵞経』や京都の本草学者小野蘭山の『本草綱目啓蒙』を補足した『本草啓蒙補遺』などの著作がある。斉清は目が悪く，最後は失明するが，その後も植物の葉を匂って何の植物であるかを同定したという。【図１】の弘化・安政頃に出た「愛物産」

【図１】　弘化・安政頃「愛物産」番付
（『彩色　江戸博物学集成』平凡社，1994年）

家の番付によると，行司は京都の小野蘭山，西大関は「楽善堂」とある黒田斉清，東大関は「致知春館」の前田利保。前田利保は富山藩主，天保7年（1836）に規則ができた赭鞭会の中心メンバーである。大名・旗本を中心とする赭鞭会は，月8回，持ち回りで会合を開き，自然物を持ち寄る博物研究会であった。この会に黒田斉清が参加した記録はないが，赭鞭会のメンバーと頻繁な交流があったことは確認できる。番付に載るほど世間に知られた学者であった黒田斉清は，シーボルトに会ったとき，17歳の長溥（1811～1877）を連れて行った。長溥は鹿児島の「蘭癖大名」島津重豪の12男，斉清の養子となっていた。

シーボルト（1796～1866）

ドイツの医者の名家に生まれたシーボルトは，ヴュルツブルク大学医学部を卒業した後，オランダに就職した。オランダ領東インド陸軍外科軍医少佐に任じられた彼の年俸は3600グルデン。グルデンは15世紀から2002年まで使われたオランダ通貨。シーボルトによると当時，金1両＝12グルデンというから金300両。日銀のホームページを参考に金1両＝10万円とすると，年収は3000万円。27歳のシーボルトは最初から特別待遇であった。文政6年（1823），オランダによるアジア貿易の基地であるバタヴィア（インドネシア）に到着したシーボルトは，出島商館の医師としての勤務を命じられ，同年7月に来日した。到着時の臨検において，彼のオランダ語発音が聞きとがめられ，

オランダ人ではないとの疑いがかかったが，自分は「山オランダ人」だと言ってことなきをえた。

1820年代のオランダは，国家の再建に着手したところであった。つまり，1789年にフランス革命が勃発すると革命軍が侵入し，間もなくフランスに併合されて国家としてのかたちを失っていたが，1814～15年のウィーン会議によってネーデルランド王国として存立が保証され，東アジアでの貿易を新たに発展させようとするさまざまの試みが実施された。日本との貿易を再検討するための「総合的科学的」調査の任務をシーボルトは負い，多額の研究費も支給された（年約7000万円）。調査の具体的内容は，日本の植物の種子や生体をオランダの植物園に送り，また動植物標本を本国の博物館へ送ることであった。

出島の「商館付医官」は，もともとオランダ人の健康維持のためのものであったが，シーボルトは自らの博物研究に資するため，日本人に対する積極的な医療行為を開始する。日本人に瞳孔の手術をして視力を回復させるなど，実用的で効果が目に見えやすい医療を武器として自分自身を売り込んでいく。こうして，来日翌年には長崎奉行の許可をえて長崎郊外の鳴滝に塾を開き，診療の傍ら日本人医師の門人たちに医学伝習を行った。その教育は，患者に接し病状を診察しながら治療法を講義するというもので，西洋式の臨床講義が初めて彼によって行われた。シーボルトは鳴滝に集まった門人たちに，日本に関するさまざまの課題を与え，オランダ語の論文にして提出させた。

それらは，帰国後に彼が自費出版した『NIPPON』・『日本植物誌』・『日本動物誌』の材料となった。

文政11年3月5日
（1828年4月18日）の裏付け

　シーボルトと黒田斉清が出島で会ったかどうか，当時の記録から裏付ける。元禄2年（1689）完成の「唐人屋敷」の門番として，唐人番の役職が新設された。後に唐人番は出島の出入りも管理するようになり，『唐人番倉田氏日記』の文政11年3月5日に，「筑前松平備前守」の黒田斉清が，「美濃守」の長溥を伴って親子で「出島御入」になったとある。つぎに，出島のなかでシーボルトに会ったかどうか，商館長メイランの『蘭館日誌』を確認する。1828年4月18日の見出しに「Bezoek van den Landsheer van Tikwiesen, met zijnen aangenomen zoon（養子の息子を伴った筑前の藩主の訪問）」とあり，本文を訳すと，

　前もって連絡を受けていた筑前藩主と重要な時を過ごした。同日私は彼の訪問を受けた。彼は養子の息子を同伴してきた。彼の訪問は出島にとって重要なことである。私はできる限りの接待を彼らにしたことを光栄に思う。彼は，商館長の部屋から医師シーボルトの家へ行った。彼は，医者のきちんと整理された珍しい自然コレクションを観覧した。夕方，彼と供回りは一緒に長崎へ帰った。彼は接待を大変満足して楽しんだ。

となる。黒田斉清は長溥とともに出島に入り，商館長メイランとの面会後，シーボルトの部屋へ行き，動植物のコレクションを見て夕方に「大変満足」して帰った。

安部龍平『下問雑載』

　『福岡藩士明細帳』にある安部家の系譜によると，名島村（福岡市東区）の百姓の子として生まれた安部龍平は，福岡藩内の蘭学者青木興勝にオランダ語を学び，後に「長崎聞役」の従僕として長崎へ行って志筑忠雄（1760〜1806，オランダ通詞・蘭学者）に学んだ。その後，帰国して安部家の養子に入り，文政2〜7年に「長崎詰方」としてふたたび長崎へ行った。号は蘭圃・蘭畝。

　安部と志筑忠雄の共同著作として『二国会盟録』がある。作成の契機は，文化1〜2（1805）年に通商を求めて来日し，幕府から拒否されたロシア使節レザノフの長崎来航があった。『二国会盟録』の内容は，1689年にロシアと中国が国境・交易について結んだネルチンスク条約の事情をまとめたものであり，原書は中国使節に通訳として随行したフランス人宣教師の旅行記（オランダ語版）であった。「凡例」の日付は文化3年正月であるから，同年7月に死去する病気の志筑忠雄が口訳し，安部が筆記したものである。ロシアによるアジア進出を1689年のネルチンスク条約から説いた『二国会盟録』の原稿を，安部は福岡に持ち帰り，相当な年数をかけて補訂作業を行った。そして，福岡藩の儒学者亀井昭陽らに序にあ

たる「題言」を乞い，出版を企てた。本書は黒田斉清に上呈され，安部は福岡藩主の蘭学顧問となる。天保2年（1831）には，斉清の国防論に安部が補注をつけた『海寇窃策』を完成させている。

　シーボルトと黒田斉清が会ってから約半年後の文政11年11月，安部は2人の質疑をまとめた『下問雑載』を仕上げた。現存するのはいずれも写本であり，序に，

　　侯以世子，巡視崎鎮戌営，例一日入蘭
　　館，遂召見西医矢意暴尓杜，斯意暴尓
　　杜都逸国倍月連之人也

とある。「侯」は黒田斉清，彼が「世子」の長溥とともに長崎視察を行い，出島の「蘭館」で「矢意暴尓杜」・「斯意暴尓杜」（シーボルト）に会ったこと。シーボルトの出身地は「都逸国」（ドイツ）の「倍月連」（バイエルン）であると記されている。跋文に相当する「附言」には，ドイツの「ウツルビユルグノ産也」とある。当時，ヴィッテルスバッハ家の国王が治めたバイエルン王国に，シーボルトの出身地ヴュルツブルクは含まれていたから，正確に理解していたことがわかる。安部は，シーボルトが日本の植物や政治・文化についての本を出そうという意欲を持ち，普通の人ではないと評価している。

『下問雑載』の内容

　35の問答が記される。記載形式は黒田斉清の「問」があり，それに対するシーボルトの「答」がある。植物や鳥，世界の地理さらにカッパについての問答があ

る。いくつかの概要を記す。

◆ 斉清は「出島でキナ樹とされる樹は日本のゴマギと同じである。ボイスやオーイツの書にあるキナや，江戸の桂川甫賢が洋書のキナを模写して贈ってくれたものとは少し違う。キナ樹はペルーのみに生ずると聞いているが」と問う。シーボルトは「彼らの書は50年前のものです。キナ樹は南アメリカに30種あり，私は出島のゴマギを強いてキナ樹と言っているのではありません。常々その皮を試したいと思っており，効いたらゴマギは日本のキナ樹です」と答えた。※補足説明を後述。

◆ 斉清は梅・桜・モミジについて，「ドドネウスの『草木譜』や中国の書によれば，西洋と中国にはそれらの品種は少ない。日本はその多いこと世界一であろう」と言い，風土によってこうした差を生ずるのかと尋ね，モミジの押し葉約100種を贈った。これに対しシーボルトは，日本の梅は野生梅と杏の変種であり，風土と人工により種々の奇品を生むと説き，モミジの押し葉のなかで野生のものは12種であり，後日名称をつけて報告すると約束した。※斉清がシーボルトに贈ったモミジの押し葉は，オランダの国立植物標本館ライデン大学分館に現存する。

◆ 燕・鶴などの渡り鳥について，斉清はどこから飛来し，いつ帰るのか，またその理由などを，緯度と気候の関係を踏まえて述べ，シーボルトも意見を返し，「貴説ノ如シ」と言った。※後日，斉清がシーボルトに贈った日本産鳥類の

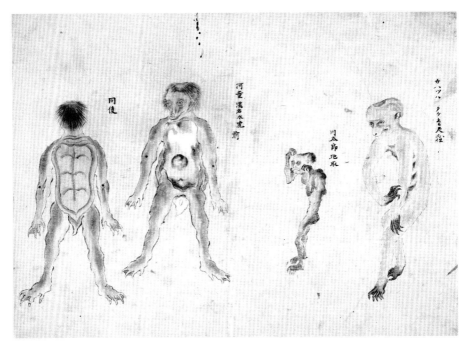

【図2】『魚貝写生帖』のカッパ（福岡県指定有形文化財，尾形家絵画資料4355，福岡県立美術館蔵）

一覧表は，ドイツのボフム大学図書館に現存する。

◆ 同じ緯度に住む人間の容貌は大体同じだろうと考える斉清は，「日本と同緯度にあるポルトガルや地中海北辺の人々は，日本人に似ているだろう」と問う。シーボルトは「皮膚や髪の色が似ていても，人種が異なる」と力説し，日本人について「北方は東韃靼の子孫，南方は印度支那人の子孫，中央が真の日本人であろう」と言う。問答の注記として，安部龍平は，ケンペル『日本誌』にも日本人の起源を韃靼人とする説があったことを紹介しながら，「我日本人ハ神孫」であると書いている。

◆ カッパについて，斉清はシーボルトに３枚の写生図を見せて尋ねた。それを見たシーボルトは「奇異怪説」にす

ぎないという。斉清は「写生図は薩摩の島津重豪が実物を写生したものだから疑いない」と言い，藩内には何人もカッパを目撃した者がいると強調する。シーボルトは，自分は見たことはないが，カッパがいるならばそれは亀の一種だろうと返した。※斉清が見せたカッパの写生図は，オランダのライデン国立民族学博物館に現存する。そしてその絵は，福岡藩の御用絵師尾形家に残る絵手本帳，【図2】の『獣類写生帖』カッパと同じ構図である。斉清は御用絵師に描かせて写生図を準備し，シーボルトに見せたのである。

　最初の問答の「キナ樹」について，少し補足説明しておこう。「キナキナ」はこれだ，と自慢げに見せるシーボルトに

対し，斉清は植木屋が持ってきて自分の庭にもたくさん植えていること，ゴマの匂いがするから「胡麻木」ということを教えた。そして新葉をシーボルトの手に載せた。匂いを嗅いだシーボルトは納得して「ナルホド」と言った。来日5年目のシーボルトであるから，これくらいの日本語は話せた。そもそも，「キナキナ」は南アメリカのアンデス山脈に自生するキナ属の植物であり，原住民のインディオはキナの樹皮を解熱剤として用いていた。ヨーロッパ人の渡来とともに広がり，樹皮から採れる「キニーネ」はマラリアだけでなく，一般の解熱にも用いられた。「キニーネ」は「キナキナ」と呼ばれ，1800年以降に日本への輸入例が多い。輸入薬は高価であるから，日本産の「キナキナ」を人々は探した。桂川甫周に学んだ吉田長淑の『泰西熱病論』巻7附録（文化11年刊）に，ペルー原産の「キナキナ」は「一日モ欠く」ことのできない薬であり，日本のどこかにあるはずだ，とある。吉田と同じように，シーボルトも日本産の「キナキナ」を探していたのだが，それは「ゴマギ（胡麻木）」であった。「胡麻木」は日本固有種で，スイカズラ科ガマズミ属の落葉小高木。本州の関東地方から九州にかけて分布し，樹高は3〜7メートルくらい。これから「キニーネ」は採れない。

安部龍平は『下問雑載』の跋文にあたる「附言」において，シーボルトは「草木ノコトニ長ス，詳密殆神ニ入ルト云ベシ」といい，しかし「飛禽ニ至テハ我君侯ニ及ハサルコト萬々ナラン」という。植物に関しては「神」の域に達するシー

ボルト（32歳），「飛禽」の鳥については一段上の黒田斉清（33歳）。それぞれ得意分野は異なるが，ともに30代前半の博物学者である。わずか半日ほどであったが，相互に楽しい一時を過ごすことができた学術交流であった。

帰りの挨拶

シーボルトとの面会を，黒田斉清が口述筆記させた「蘭館紀事」（『雑事叢書』長崎歴史文化博物館）が残っている。それによると，夕方になり，黒田斉清は帰ろうとした。するとシーボルトは，斉清の膝前に来て座り，謝辞を述べた。オランダ通詞に向かって，今年の秋に帰国予定であり，「同好ノ友ニヨキミヤゲ」ができたと言った。斉清もまた，江戸への「ヨキミヤゲ」ができたと言い，いくつもの疑問が解決できたと言った。

文政11（1828）年3月5日の午後，シーボルトの部屋で動植物の標本類に囲まれながら話した2人は，互いに得るものがあった。「蘭館紀事」の最後に，詳しくは別巻に記すとある。その別巻は，安部がまとめた『下問雑載』であろうか。

以上の交流内容に関係なく，博多では「ウソ」の噂が形成された。「シーボルトはロシア人だ。そう言っているのはウチの殿さまだ」。この噂の社会的背景には，当時の人々の対外的な危機意識がある。それについては別の機会に述べる。

【参考文献】宮崎克則「文政11年，出島で会ったシーボルトと福岡藩主黒田斉清」（『西南学院大学博物館研究紀要』4号，2016年）

本展覧会関係略年表

西暦(年)	和暦(年)	出　来　事
1641	寛永18	長崎・出島オランダ商館でオランダとの貿易がはじまる。
1720	享保5	海外の書籍の輸入が緩和される。
1740	元文5	徳川吉宗が青木昆陽と野呂元丈にオランダ語の習得を命じる。
1771	明和8	前野良沢・杉田玄白を中心に『ターヘル・アナトミア』の翻訳研究が開始される。1774（安永3）年、『解体新書』として刊行される。▶P.6
1775	安永4	カール・ツンベルクが出島オランダ商館医として来日する。通詞・吉雄耕牛をはじめ、桂川甫周などに西洋医学や植物学を指導する。
1788	天明8	大槻玄沢『蘭学階梯』が刊行される。このころ日本で初めての蘭学塾「芝蘭堂」が江戸京橋に開かれる。▶P.7
1811	文化8	幕府が「蛮書和解御用」（蘭書の翻訳機関、のち1856〔安政3〕年に蕃所調所となる）を設置する。大槻玄沢らが翻訳官に任命される。
1822	文政5	シーボルト、オランダ領東インド植民地陸軍の医師としてバタヴィアで勤務するため、ロッテルダムを出航。
1823	文政6	シーボルト、バタヴィアに到着。商館付医官として出島オランダ商館に派遣され、出島に到着する。▶P.12 伊東玄朴、長崎で猪俣伝次右衛門とシーボルトに蘭方を学ぶ。
1824	文政7	シーボルトによって鳴滝に蘭学塾「鳴滝塾」が開かれる。塾生である蘭学者たちと交流する。▶P.15
1825	文政8	武谷元立、木屋瀬宿でシーボルトと面会する。
1826	文政9	シーボルト、オランダ商館長の江戸参府に随行する。道中や江戸で多数の蘭学者たちと交流する。 伊藤圭介、熱田宿でシーボルトと出会い、学術交流をおこなう。
1827	文政10	伊藤圭介、長崎に到着。吉雄権之助とシーボルトに蘭語や蘭方を学ぶ。 武谷元立・有吉修平・原田種彦ら、鳴滝塾で蘭方を学ぶ。
1828	文政11	黒田斉清、出島でシーボルトと学術交流をおこなう。▶P.29 シーボルト出国の際、所持品に地図などの禁制品があることが発覚し、シーボルトが国外追放となる（シーボルト事件）。
1829	文政12	伊藤圭介『泰西本草名疏』が刊行される。▶P.27
1832	天保3	シーボルト『NIPPON』の刊行が開始される。▶P.16
1833	天保4	伊東玄朴によって江戸御徒町に蘭学塾「象先堂」が開かれる。
1835	天保6	伊東玄朴『医療正始』が刊行される。▶P.28
1858	安政5	伊東玄朴が西洋内科としてはじめて幕府奥医師となり、江戸神田お玉が池に種痘所を設立する。翌年、西洋医学所となる（のちの東京大学医学部）。 日蘭通商修好条約が結ばれ、シーボルトの国外追放が解除される。
1859	安政6	シーボルト、再来日する。 翌々年、伊藤圭介、蕃書調所出役を命じられ、門人の田中芳男とともに横浜でシーボルトと再会する。
1867	慶応3	武谷祐之の提言により、福岡藩校「賛生館」（のちの九州大学医学部）が開かれる。
1870	明治3	明治政府により、伊藤圭介が大学南校の少教授に任命される。
1877	明治10	東京開成学校・東京医学校が合併し、東京大学が設置される。伊藤圭介が理学部員外教授に任命される。
1881	明治14	伊藤圭介が東京大学教授に任命される。
1888	明治21	伊藤圭介が日本で初めて理学博士の学位を受ける。

出品目録

No.	資料名	制作年／制作地／制作者／素材・形態	大きさ(cm)	所蔵
I 蘭学の隆盛				
参考	『ターヘル・アナトミア』ラテン語版(パネル展示)	1732年／アムステルダム(オランダ)／ヨハン・アダム・クルムス〔著〕／紙本印刷, 洋装本	縦20.0横13.0	九州国立博物館(福岡県立アジア文化交流センター)
1	『解体新書』	1774(安永3)年／江戸／前野良沢・杉田玄白ほか〔訳〕／紙本木版, 和装本, 全5冊	縦26.7横17.8	大分市歴史資料館
2	『蘭学階梯』	1788(天明8)年／日本／大槻玄沢〔著〕／紙本木版, 和装本, 上下巻	縦24.0横16.0	西南学院大学図書館
3	『蘭説辨惑』	1799(寛政11)年／伊勢／大槻玄沢〔述〕, 有馬元晁〔記〕／紙本木版, 和装本, 上下巻	縦18.5横12.7	西南学院大学博物館
4	『紅毛雑話』	1787(天明7)年／日本／森島中良〔編〕／紙本木版, 和装本, 全5冊	縦22.6横15.9	西南学院大学博物館
5	芝蘭堂新元会図(複製)	明治時代／日本／福井信敏〔版〕／紙本石版 原資料：1794(寛政6)年／江戸／市川岳山〔画〕, 大槻玄沢ほか〔賛〕／紙本彩色, 軸装	縦119.9横113.3	西南学院大学博物館 原資料：早稲田大学図書館, 重要文化財
参考	オランダ生活雑器	18〜19世紀／オランダ	－	西南学院大学博物館
II シーボルトの来日と日本研究				
6	肥前﨑陽玉浦風景之図(部分)	1862(文久2)年／江戸／歌川貞秀〔画〕, 藤岡屋慶次郎〔版〕／木版色摺, 大判6枚続	縦34.6横47.7	西南学院大学博物館
参考	シーボルト像(パネル展示)	江戸時代後期／日本／作者不詳／紙本着色	縦122.0横52.0	武雄市図書館・歴史資料館
参考	鳴滝塾舎之図(パネル展示)	1824(文政7)年以降／長崎／成瀬石痴〔画〕／水彩画	縦21.5横26.0	長崎大学附属図書館経済学部分館
参考	鳴滝塾模型(複製)(パネル展示)	2023(令和5)年／日本／木, 和紙, 糊など 原資料：1860年頃／日本／木, 和紙, 糊など	縦32.0横60.4高さ56.0	長崎市 原資料：ミュンヘン五大陸博物館
7	『NIPPON』図版篇	1832〜51年頃／ライデン(オランダ)／シーボルト／石版, 彩色, 洋装本, 2冊	縦60.3横41.5	福岡県立図書館
8	『日本植物誌』	1835〜41年頃／ライデン(オランダ)／シーボルト／石版, 彩色, 洋装本	縦40.5横32.6	福岡県立図書館
9	『日本動物誌』	1833〜50年頃／ライデン(オランダ)／シーボルト／石版, 彩色, 洋装本	縦40.5横32.6	福岡県立図書館
III 蘭学者との交流				
参考	『泰西本草名疏』(パネル展示)	1829(文政12)年／日本／ツンベルク〔著〕, 伊藤圭介〔訳〕／紙本木版, 和装本, 全3冊	縦24.0横15.3	国立国会図書館
10	『醫療正始』	1847(弘化4)年／江戸／ビショフ〔著〕, エルディック〔訳〕, 伊藤玄朴〔重訳〕／紙本木版, 和装本, 24巻全8冊(22〜24巻欠)	縦25.6横18.0	九州大学医学図書館
参考	『下問雑載』(パネル展示)	1828(文政11)年／日本／安部龍平(蘭圃)〔編〕／紙本墨書, 和装本	縦26.5横18.5	福岡県立図書館

◖▸主要参考文献

青木歳幸ほか編　2021『洋学史研究事典』　思文閣出版

石山禎一ほか編　2003『新・シーボルト研究』I 自然科学・医学篇，八坂書房

石山禎一ほか編　2003『新・シーボルト研究』II 社会・文化・芸術篇，八坂書房

石山禎一・宮崎克則編　2014『シーボルト年表』　八坂書房

磯野直秀・田中誠　2010「尾張の嘗百社とその周辺」『慶應義塾大学日吉紀要　自然科学』47号，15〜39頁，慶応義塾大学日吉紀要刊行委員会

内川隆志編　2018『好古家ネットワークの形成と近代博物館創設に関する学際的研究』I，近代博物館形成史研究会

ヴォルフガング・ミヒェルほか編　2009『九州の蘭学：越境と交流』　思文閣出版

「江戸時代の日蘭交流」展示委員会編　2009「江戸時代の日蘭交流」，国立国会図書館電子展示会（https://www.ndl.go.jp/nichiran/index.html）

国立国会図書館展示委員会特別展示小委員会編　2005「描かれた動物・植物―江戸時代の博物誌―」，国立国会図書館電子展示会（https://www.ndl.go.jp/nature/index.html）

長崎市史編さん委員会　2012『新長崎市史』第二巻近世編，ぎょうせい

福岡県立図書館郷土資料課編　2017「第 51 回福岡県地方史研究協議大会　伊東尾四郎と福岡県地方史」大会要旨，福岡県立図書館郷土資料課

宮崎克則・福岡アーカイブ研究会編　2009『ケンペルやシーボルトたちが見た九州，そしてニッポン』　海鳥社

宮崎克則　2017『シーボルト「NIPPON」の書誌学研究』　花乱社

森島中良・大槻玄沢著，杉本つとむ解説・注　1972『紅毛雑話・蘭説弁惑』生活の古典双書 6，八坂書房

Hesselink, Reinier H. 著，矢橋篤訳　2000「芝蘭堂のオランダ正月　1795年 1 月 1 日」　早稲田大学図書館編『早稲田大学図書館紀要』47号，101〜151頁，早稲田大学図書館

Philipp Franz von Siebold 著，中井晶夫・金本正之訳　1977〜1979『日本：日本とその隣国，保護国―蝦夷・南千島列島・樺太・朝鮮・琉球諸島―の記録集。日本とヨーロッパの文書および自己の観察による。』　雄松堂書店

◖▸デジタルコンテンツ

九州大学附属図書館　九大コレクション（https://www.lib.kyushu-u.ac.jp/ja）
　　九州大学附属図書館が所蔵している資料を検索し，一部はデジタル画像を閲覧することができます。

国立国会図書館デジタルコレクション（https://dl.ndl.go.jp/ja/）
　　国立国会図書館で収集している資料の一部を閲覧することができます。

国立文化財機構所蔵品統合検索システム　ColBase（https://colbase.nich.go.jp/）
　　国立文化財機構の四つの国立博物館（東京国立博物館，京都国立博物館，奈良国立博物館，九州国立博物館）と一つの研究所（奈良文化財研究所）の所蔵品を検索し，デジタル画像を閲覧することができます。

福岡県立図書館デジタルライブラリ（https://adeac.jp/fukuoka-pref-lib/top/）
　　福岡県に関する郷土資料の一部をデジタル画像や映像で公開しています。『NIPPON』，『日本植物誌』，『日本動物誌』の図版全頁と解説を閲覧することができます。

編者略歴

鬼束芽依 （おにつか・めい）

1996年生まれ。西南学院大学大学院国際文化研究科国際文化専攻博士前期課程修了。大野城心のふるさと館学芸員を経て，現在，西南学院大学博物館学芸研究員。専門は日本考古学（近世）。特に，織豊期〜近世日本社会における異文化受容について。編著として，『考古学からみた筑前・筑後のキリシタン：掘り出された祈り』（花乱社，2023年），「近世日本社会におけるフラスコ形ワインボトル流通状況についての再検討」（『西南学院大学博物館研究紀要』第11号，2023年），「コンプラ瓶の成立過程についての一考察：フラスコ形ワインボトルとコンプラ瓶の比較研究を通して」（『江戸遺跡研究』第10号，2023年）などがある。

迫田ひなの （さこだ・ひなの）

1996年生まれ。西南学院大学大学院国際文化研究科国際文化専攻博士前期課程修了。現在，西南学院大学博物館学芸研究員。専門は日本近世史，近世日朝交流史。編著として『長崎口と和華蘭文化：異文化のさざ波』（花乱社，2021年），「館守『毎日記』に見る草梁倭館の交奸事件：元禄三（一六九〇）年の事例をもとに」（『西南学院大学博物館研究紀要』第9号，2021年），「宝永四（一七〇七）年の交奸（密通）事件に見る対馬と朝鮮の外交交渉」（『西南学院大学博物館研究紀要』第10号，2022年）などがある。

2023年度西南学院大学博物館企画展
2023年10月23日〜12月18日

西南学院大学博物館研究叢書

シーボルトと近世の蘭学者たち
前野良沢から伊藤圭介まで

❖

2023年11月2日　第1刷発行

編　　者　鬼束芽依・迫田ひなの

監　　修　片山隆裕

発　　行　西南学院大学博物館
　　　　　〒814-8511　福岡市早良区西新 3-13-1
　　　　　電話 092（823）4785　FAX 092（823）4786

制作・発売　合同会社 花乱社
　　　　　〒810-0001　福岡市中央区天神 5-5-8-5D
　　　　　電話 092（781）7550　FAX 092（781）7555

印刷・製本　大村印刷株式会社

ISBN978-4-910038-83-4